樂章集

宋柳永著

廣陵書社

甲午冬月廣陵書社據
彊村叢書舊版刷印

樂章集目錄

上卷

中卷

雙調

小石調

歇指調

林鍾商

下卷

仙呂調

南呂調

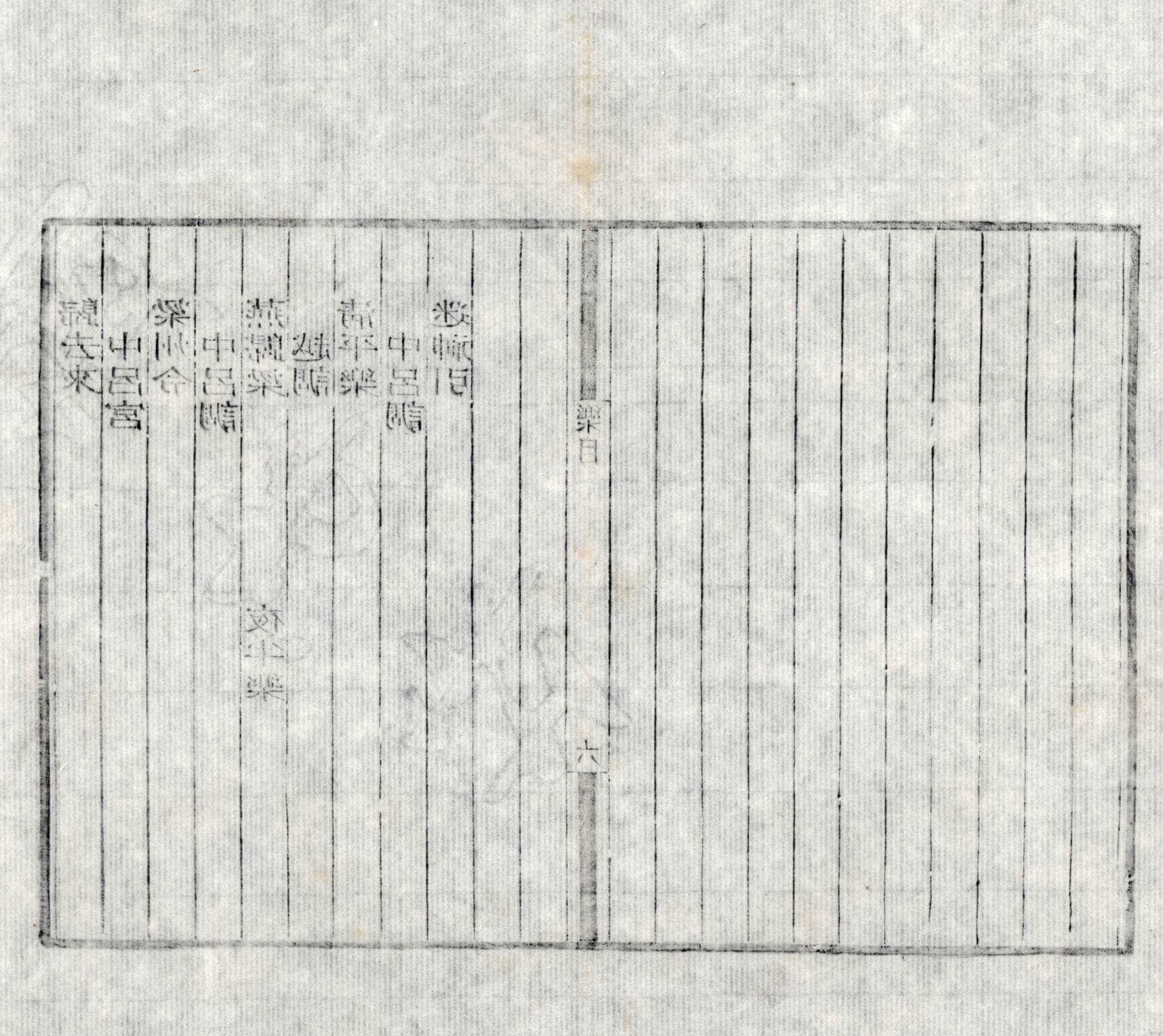

樂章集上卷

崇安　柳三變　耆卿

正宫

黃鶯兒

園林晴晝春誰主。暖律潛催，幽谷暄和，黃鸝翩翩，乍遷芳樹。觀露溼縷金衣，葉映如簧語。曉來枝上緜蠻，似把芳心、深意低訴。　無據。乍出暖煙來，又趁遊蜂去。恣狂蹤迹，兩兩相呼，終朝霧吟風舞。當上苑柳穠時，別館花深處，此際海燕偏饒，都把韶光與。

玉女搖仙佩

飛瓊伴侶，偶別珠宮，未返神仙行綴。取次梳妝，尋常言語，有得幾多姝麗。擬把名花比。恐旁人笑我，談何容易。細思算、奇葩豔卉，惟是深紅淺白而已。爭如這多情，占得人間，千嬌百媚。　須信畫堂繡閣，皓月清風，忍把光陰輕棄。自古及今，佳人才子，少得當年雙美。且恁相偎倚。未消得、憐我多才多藝。願嬭嬭、蘭心蕙性，枕前言下，表余深意。為盟誓。今生斷不孤鴛被。

雪梅香

景蕭索，危樓獨立面晴空。動悲秋情緒，當時宋玉應同。漁市孤煙裊寒碧，水村殘葉舞愁紅。楚天闊，浪浸斜陽，千里溶溶。　臨風。想佳麗，別後愁顏，鎮斂眉峰。可惜當年，頓乖雨迹雲蹤。雅態妍姿正歡洽，落花流水忽西東。

無憀恨相思意盡分付征鴻

尾犯

夜雨滴空階孤館夢回情緒蕭索一片閒愁想丹青難
貌秋漸老蛩聲正苦夜將闌燈花旋落最無端處總把
良宵祗恁孤眠卻　佳人應怪我別後寡信輕諾記得
當初翦香雲爲約甚時向幽閨深處按新詞流霞共酌
再同歡笑肯把金玉珠珍博

早梅芳

海霞紅山煙翠故都風景繁華地譙門畫戟下臨萬井
金碧樓臺相倚芰荷浦溆楊柳汀洲映虹橋倒影蘭舟
飛棹遊人聚散一片湖光裏　漢元侯自從破虜征蠻
峻陟樞庭貴籌帷厭久盛年晝錦歸來吾鄉我里鈴齋
少訟宴館多歡未周星便恐皇家圖任勳賢又作登庸
計

鬬百花

颯颯霜飄鴛瓦翠幕輕寒微透長門深鎖悄悄滿庭秋
色將晚眼看菊蘂重陽淚落如珠長是淹殘粉面鸞輅
音塵遠　無限幽恨寄情空殢紈扇應是帝王當初怪
妾辭輦陡頓今來宮中第一妖嬈卻道昭陽飛燕

其二

煦色韶光明媚輕靄低籠芳樹池塘淺蘸煙蕪簾幕閒
垂風絮春困厭厭拋擲鬬草工夫冷落蹋青心緒終日

扃朱戶　遠恨緜緜淑景遲遲難度年少傳粉依前醉
眠何處深院無人黃昏乍拆鞦韆空鎖滿庭花雨

其三

滿搦宮腰纖細年紀方當笄歲剛被風流沾惹與合垂
楊雙髻初學嚴妝如描似削身材怯雨羞雲情意舉措
多嬌媚　爭奈心性未會先憐佳壻長是夜深不肯便
入鴛被與解羅裳盈盈背立銀釭卻道你但先睡

甘草子

秋暮亂灑衰荷顆顆真珠雨雨過月華生冷徹鴛鴦浦
池上凭闌愁無侶奈此箇單棲情緒卻傍金籠共鸚
鵡念粉郎言語

其二

秋盡葉翦紅綃砌菊遺金粉鴈字一行來還有邊庭信
飄散露華清風緊動翠幕曉寒猶嫩中酒殘妝慵整
頓聚兩眉離恨

中呂宮

送征衣

過韶陽璿樞電繞華渚虹流運應千載會昌罄寰宇薦
殊祥吾皇誕彌月瑤圖纘慶玉葉騰芳竝景貺三靈眷
祐挺英哲掩前王遇年年嘉節清和頒率土稱觴　無
閒要荒華夏盡萬里走梯航彤庭舜張大樂禹會羣方
鵷行望上國山呼鼇抃遙爇鑪香竟就日瞻雲獻壽指

南山竽無疆願巍巍寶曆鴻基齊天地遙長

晝夜樂

洞房記得初相遇便只合長相聚何期小會幽歡變作
離情別緒況值闌珊春色暮對滿目亂花狂絮直恐好
風光盡隨伊歸去 一場寂寞憑誰訴算前言總輕負
早知恁地難拚悔不當時留住其奈風流端正外更別
有繫人心處一日不思量也攢眉千度

其二

秀香家住桃花徑算神仙纔堪並層波細翦明眸膩玉
圓搓素頸愛把歌喉當筵逞遏天邊亂雲愁凝言語似
嬌鶯一聲聲堪聽 洞房飲散簾幃靜擁香衾歡心稱

金鑪麝裊青煙鳳帳燭搖紅影無限狂心乘酒興這歡
娛漸入嘉景猶自怨鄰雞道秋宵不永

柳腰輕

英英妙舞腰肢輭章臺柳昭陽燕錦衣冠蓋綺堂筵會
是處千金爭選顧香砌絲管初調倚輕風佩環微顫
乍入霓裳促徧逞盈盈漸催檀板慢垂霞袖急趨蓮步
進退奇容千變算何止傾國傾城暫回眸萬人腸斷

西江月

鳳額繡簾高卷獸鐶朱戶頻搖兩竿紅日上花梢春睡
厭厭難覺 好夢狂隨飛絮閒愁濃勝香醪不成雨暮
與雲朝又是韶光過了

仙呂宮

傾杯樂

禁漏花深繡工日永蕙風布暖變韶景都門十二元宵三五銀蟾光滿連雲複道淩飛觀聳皇居麗嘉氣瑞煙蔥蒨翠華宵幸是處層城閬苑　龍鳳燭交光星漢對咫尺鼇山開羽扇會樂府兩籍神仙梨園四部絃管向曉色都人未散盈萬井山呼鼇抃願歲歲天仗裏常瞻鳳輦

笛家弄

花發西園草薰南陌韶光明媚乍晴輕暖清明後水嬉舟動禊飲筵開銀塘似染金隄如繡是處王孫幾多遊

妓往往攜纖手遣離人對嘉景觸目傷懷盡成感舊別久帝城當日蘭堂夜燭百萬呼盧畫閣春風十千沽酒未省宴處能忘管絃醉裏不尋花柳豈知秦樓玉簫聲斷前事難重偶空遺恨望仙鄉一餉消凝淚沾襟袖

大石調

傾杯樂

皓月初圓暮雲飄散分明夜色如晴晝漸消盡醺醺殘酒危閣迥涼生襟袖追舊事一餉凭闌久如何媚容豔態抵死孤歡偶朝思暮想自家空恁添清瘦　算到頭誰與伸剖向道我別來爲伊牽繫度歲經年偷眼覷也不忍覷花柳可惜恁好景良宵未曾略展雙眉暫開口

問甚時與你深憐痛惜還依舊

迎新春

嶰管變青律帝里陽和新布晴景回輕煦慶嘉節當三五列華燈千門萬戶徧九陌羅綺香風微度十里然絳樹鼇山聳喧天簫鼓　漸天如水素月當午香徑裏絕纓擲果無數更闌燭影花陰下少年人往往奇遇太平時朝野多歡民康阜隨分良聚堪對此景爭忍獨醒歸去

曲玉管

隴首雲飛江邊日晚煙波滿目凭闌久立望關河蕭索千里清秋忍凝眸杳杳神京盈盈仙子別來錦字終難

偶斷鴈無憑冉冉飛下汀洲思悠悠　暗想當初有多少幽歡佳會豈知聚散難期翻成雨恨雲愁阻追遊每登山臨水惹起平生心事一場消黯永日無言卻下層樓

滿朝歡

花隔銅壺露晞金掌都門十二清曉帝里風光爛漫偏愛春杪煙輕晝永引鶯囀上林魚遊靈沼巷陌乍晴香塵染惹垂楊芳草　因念秦樓彩鳳楚觀朝雲往昔曾迷歌笑別來歲久偶憶歡盟重到人面桃花未知何處但掩朱扉悄悄盡日佇立無言贏得淒涼懷抱

夢還京

夜來怱怱飲散攲枕背燈睡酒力全輕醉魂易醒風揭簾櫳夢斷披衣重起悄無寐 追悔當初繡閣話別太容易日許時猶阻歸計甚況味旅館虛度殘歲想嬌媚那裏獨守鴛幃靜永漏迢迢也應暗同此意

鳳銜杯

有美瑤卿能染翰千里寄小詩長牋想初襞苔牋旋揮翠管紅窗畔漸玉箸銀鉤滿 錦囊收犀軸卷常珍重小齋吟玩更寶若珠璣置之懷袖時時看似頻見千嬌面

其二

追悔當初孤深願經年價兩成幽怨任越水吳山似屏如障堪遊玩柰獨自慵擡眼 賞煙花聽絃管圖歡笑轉加腸斷更時展丹青強拈書信頻頻看又爭似親相見

鶴沖天

閑窗漏永月冷霜華墮悄悄下簾幕殘燈火再三追往事離魂亂愁腸鎖無語沈吟坐好天好景未省展眉則箇 從前早是多成破何況經歲月相拋嚲假使重相見還得似舊時麼悔恨無計那迢迢良夜自家只恁摧挫

受恩深

雅致裝庭宇黃花開淡泞細香明豔盡天與助秀色堪

餐向曉自有眞珠露剛被金錢妒擬買斷秋天容易獨
步　粉蝶無情蜂已去要上金尊惟有詩人曾許待宴
賞重陽恁時盡把芳心吐陶令輕回顧免憔悴東籬冷
煙寒雨

看花回

屈指勞生百歲期榮瘁相隨利牽名惹逡巡過奈兩輪
玉走金飛紅顏成白髮極品何爲　塵事常多雅會稀
忍不開眉畫堂歌管深深處難忘酒琖花枝醉鄉風景
好攜手同歸

其二

玉城金階舞舜干朝野多歡九衢三市風光麗正萬家

急管繁絃鳳樓臨綺陌嘉氣非煙　雅俗熙熙物態妍
忍負芳年笑筵歌席連昏晝任旗亭斗酒十千賞心何
處好惟有尊前

柳初新

東郊向曉星杓亞報帝里春來也柳擡煙眼花勻露臉
漸覺綠嬌紅姹妝點層臺芳榭運神功丹青無價　別
有堯階試罷新郎君成行如畫杏園風細桃花浪暖競
喜羽遷鱗化徧九陌相將遊冶驟香塵寶鞍驕馬

兩同心

嫩臉修蛾淡勻輕掃最愛學宮體梳妝偏能做文人談
笑綺筵前舞燕歌雲別有輕妙　飲散玉鑪煙裊洞房

悄悄錦帳裏低語偏濃銀燭下細看俱好那人人昨夜分明許伊偕老

其二

竚立東風斷魂南國花光媚春醉瓊樓蟾彩迥夜遊香陌憶當時酒戀花迷役損詞客　別有眼長腰搦痛憐深惜鴛會阻夕雨淒飛錦書斷暮雲凝碧想別來好景良時也應相憶

女冠子

斷雲殘雨灑微涼生軒戶動清籟蕭蕭庭樹銀河濃淡華星明滅輕雲時度莎階寂靜無覩幽蛩切切秋吟苦疏篁一徑流螢幾點飛來又去　對月臨風空憑無眠

耿耿暗想舊日牽情處綺羅叢裏有人人那回飲散略曾諧鴛侶因循忍便睽阻相思不得長相聚好天良夜無端惹起千愁萬緒

玉樓春

昭華夜醮連清曙金殿霓旌籠瑞霧九枝擎燭燦繁星百和焚香抽翠縷　香羅薦地延真馭萬乘凝旒聽祕語卜年無用考靈龜從此乾坤齊曆數

其二

鳳樓郁郁呈嘉瑞降聖覃恩延四裔醮臺清夜洞天嚴公讌凌晨簫鼓沸　保生酒勸椒香膩延壽帶垂金縷細幾行鵷鷺望堯雲齊共南山呼萬歲

其三

皇都今夕知何夕特地風光盈綺陌金絲玉管咽春空蠟炬蘭燈燒曉色　鳳樓十二神仙宅珠履三千鵷鷺客金吾不禁六街遊狂殺雲蹤幷雨迹

其四

皇闕上笏金章貴重委外臺疏近侍百常天閣舊通班九歲國儲新上計　太倉日富中邦最宣室夜思前席對歸心怡悅酒腸寬不泛千鍾應不醉

其五

閬風歧路連銀闕曾許金桃容易竊烏龍未睡定驚猜鸚鵡多言防漏泄　怱怱縱得鄰香雪窗隔殘煙簾映

月別來也擬不思量爭柰餘香猶未歇

金蕉葉

厭厭夜飲平陽第添銀燭旋呼佳麗巧笑難禁豔歌無閒聲相繼準擬幕天席地　金蕉葉泛金波齊未更闌已盡狂醉就中有箇風流暗向燈光底惱徧兩行珠翠

惜春郎

玉肌瓊豔新妝飾好壯觀歌席潘妃寶釧阿嬌金屋應也消得　屬和新詞多峻格敢共我勍敵恨少年枉費疏狂不早與伊相識

傳花枝

平生自負風流才調口兒裏道知張陳趙唱新詞改難

令總知顛倒解刷扮能哄嗽表裏都峭每遇著飲席歌筵人人盡道可惜許老了　閻羅大伯曾教來道人生但不須煩惱遇良辰當美景追歡買笑賸活取百十年只恁廝好若限滿鬼使來追待倩箇掩通著到

樂章集中卷

崇安　柳三變　耆卿

雙調

雨霖鈴

寒蟬淒切對長亭晚驟雨初歇都門帳飲無緒留戀處蘭舟催發執手相看淚眼竟無語凝噎念去去千里煙波暮靄沈沈楚天闊　多情自古傷離別更那堪冷落清秋節今宵酒醒何處楊柳岸曉風殘月此去經年應是良辰好景虛設便縱有千種風情更與何人說

定風波

竚立長隄淡蕩晚風起驟雨歇極目蕭疏塞柳萬株掩

映箭波千里走舟車向此人人奔名競利念蕩子終日驅驅爭覺鄉關轉迢遞　何意繡閣輕拋錦字難逢等閒度歲奈泛泛旅迹厭厭病緒邇來諳盡宦遊滋味此情懷縱寫香牋憑誰與寄算孟光爭得知我繼日添憔悴

尉遲杯

寵佳麗算九衢紅粉皆難比天然嫩臉修蛾不假施朱描翠盈盈秋水恣雅態欲語先嬌媚每相逢月夕花朝自有憐才深意　綢繆鳳枕鴛被深深處瓊枝玉樹相倚困極歡餘芙蓉帳暖別是惱人情味風流事難逢雙美況已斷香雲為盟誓且相將共樂平生未肯輕分連

理

慢卷紬

閑窗燭暗孤幃夜永欹枕難成寐細屈指尋思舊事前歡都來未盡平生深意到得如今萬般追悔空只添憔悴對好景良辰皺著眉兒成甚滋味 紅茵翠被當時事一一堪垂淚怎生得依前似恁偎香倚暖抱著日高猶睡算得伊家也應隨分煩惱心兒裏又爭似從前淡淡相看免恁牽繫

征部樂

雅歡幽會良辰可惜虛拋擲每追念狂蹤舊迹長祇恁愁悶朝夕憑誰去花衢覓細說此中端的道向我轉覺厭厭役夢勞魂苦相憶 須知最有風前月下心事始終難得但願我蟲蟲心下把人看待長似初相識況漸逢春色便是有舉場消息待這回好好憐伊更不輕離拆

佳人醉

暮景蕭蕭雨霽雲淡天高風細正月華如水金波銀漢瀲灩無際冷浸書帷夢斷卻披衣重起臨軒砌 素光遙指因念翠娥杳隔音塵何處相望同千里儘凝睇厭厭無寐漸曉雕闌獨倚

迷仙引

纔過笄年初綰雲鬟便學歌舞席上尊前王孫隨分相

許算等閒酬一笑便千金慵覷常祇恐容易蕣華偷換光陰虛度　巳受君恩顧好與花爲主萬里丹霄何妨攜手同歸去永棄御煙花伴侶免教人見妾朝雲暮雨

御街行

燔柴煙斷星河曙寶輦回天步端門羽衛簇雕闌六樂舜韶先舉鶴書飛下雞竿高聳恩霈均寰寓　赤霜袍爛飄香霧喜色成春煦九儀三事仰天顏八彩旋生眉宇椿齡無盡蘿圖有慶常作乾坤主

其二

前時小飲春庭院悔放笙歌散歸來中夜酒醺醺惹起舊愁無限雖看墜樓換馬爭柰不是鴛鴦伴　朦朧暗想如花面欲夢還驚斷和衣擁被不成眠一枕萬回千轉惟有畫梁新來雙燕徹曙聞長歎

歸朝歡

別岸扁舟三兩隻葭葦蕭蕭風淅淅沙汀宿鴈破煙飛溪橋殘月和霜白漸漸分曙色路遙山遠多行役往來人隻輪雙槳盡是利名客　一望鄉關煙水隔轉覺歸心生羽翼愁雲恨雨兩牽縈新春殘臘相催逼歲華都瞬息浪萍風梗誠何益歸去來玉樓深處有箇人相憶

采蓮令

月華收雲淡霜天曙西征客此時情苦翠娥執手送臨歧軋軋開朱戶千嬌面盈盈竚立無言有淚斷腸爭忍

回顧一葉蘭舟便恁急槳淩波去貪行色豈知離緒萬般方寸但飲恨脈脈同誰語更回首重城不見寒江天外隱隱兩三煙樹

秋夜月

當初聚散便喚作無由再逢伊面近日來不期而會重歡宴向尊前閒暇裏斂著眉兒長歎惹起舊愁無限盈盈淚眼漫向我耳邊作萬般幽怨奈你自家心下有事難見待信眞箇恁別無縈絆不免收心共伊長遠

巫山一段雲

六六眞遊洞三三物外天九班麟穩破非煙何處按雲軒　昨夜麻姑陪宴又話蓬萊清淺幾回山腳弄雲濤彷彿見金鼇

其二

琪樹羅三殿金龍抱九關上清眞籍總羣仙朝拜五雲閒　昨夜紫微詔下急喚天書使者令齎瑤檢降彤霞重到漢皇家

其三

清旦朝金母斜陽醉玉龜天風搖曳六銖衣鶴背覺孤危　貪看海蟾狂戲不道九關齊閉相將何處寄良宵還去訪三茅

其四

閬苑年華永嬉遊別是情人間三度見河清一番碧桃

成　金母忍將輕摘留宴鼇峰眞客紅䝟閒卧吠斜陽
方朔敢偷嘗

其五

蕭氏賢夫婦茅家好弟兄羽輪飆駕赴層城高會盡仙
卿　一曲雲謠爲壽倒盡金壺碧酒醺酣爭擷白榆花
踏碎九光霞

婆羅門令

昨宵裏恁和衣睡今宵裏又恁和衣睡小飲歸來初更
過醺醺醉中夜後何事還驚起霜天冷風細細觸疏窗
閃閃燈搖曳　空牀展轉重追想雲雨夢任攲枕難繼
寸心萬緒咫尺千里好景良天彼此空有相憐意未有

相憐計

小石調

法曲獻仙音

追想秦樓心事當年便約于飛比翼每恨臨歧處正攜
手翻成雲雨離拆念倚玉偎香前事頓輕擲　慣憐惜
饒心性鎮厭厭多病柳腰花態嬌無力早是乍清減別
後忍教愁寂記取盟言少孜煎賸好將息遇佳景臨風
對月事須時恁相憶

西平樂

盡日憑高目脈脈春情緒嘉景清明漸近時節輕寒乍
暖天氣纔晴又雨煙光淡蕩妝點平蕪遠樹黯凝竚臺

樹好鶯燕語　正是和風麗日幾許繁紅嫩綠雅稱嬉
遊去奈阻隔尋芳伴侶秦樓鳳吹楚館雲約空悵望在
何處寂寞韶華暗度可堪向晚村落聲聲杜宇

鳳棲梧

簾下清歌簾外宴雖愛新聲不見如花面牙板數敲珠
一串梁塵暗落瑠璃琖　桐樹花深孤鳳怨漸遏遙天
不放行雲散坐上少年聽不慣玉山未倒腸先斷

其二

竚倚危樓風細細望極春愁黯黯生天際草色煙光殘
照裏無言誰會凭闌意　擬把疏狂圖一醉對酒當歌
強樂還無味衣帶漸寬終不悔為伊消得人憔悴

其三

蜀錦地衣絲步障屈曲回廊靜夜閑尋訪玉砌雕闌新
月上朱扉半掩人相望　旋暖熏爐温斗帳玉樹瓊枝
迤邐相偎傍酒力漸濃春思蕩鴛鴦繡被翻紅浪

法曲第二

青翼傳情香徑偷期自覺當初草草未省同衾枕便輕
許相將平生歡笑怎生向人間好事到頭少漫悔懊
細追思恨從前容易致得恩愛成煩惱心下事千種盡
憑音耗以此縈牽等伊來自家向道洎相見喜歡存問
又還忘了

秋蘂香

留不得光陰催促柰芳蘭歇好花謝惟頃刻彩雲易散瑠璃脆驗前事端的　風月夜幾處前蹤舊迹忍思憶這回望斷永作終天隔向仙島歸冥路兩無消息

一寸金

井絡天開劒嶺雲橫控西夏地勝異錦里風流蠶市繁華簇簇歌臺舞榭雅俗多遊賞輕裘俊靚妝豔冶當春晝摸石江邊浣花溪畔景如畫　夢應三刀橋名萬里中和政多暇仗漢節攬轡澄清高掩武侯勳業文翁風化台鼎須賢久方鎮靜又思命駕空遺愛兩蜀三川異日成嘉話

歇指調

永遇樂

薰風解慍晝景清和新霽時候火德流光蘿圖薦祉累慶金枝秀璿樞繞電華渚流虹是日挺生元后纘唐虞垂拱千載應期萬靈敷祐　殊方異域爭貢琛賮架巘航波奔湊三殿稱觴九儀就列韶頀鏘金奏藩侯瞻望彤庭親攜僚吏競歌元首祝堯齡北極齊尊南山共久

其二

天閣英遊內朝密侍當世榮遇漢守分麾堯庭請瑞方面憑心膂風馳千騎雲擁雙旌向曉洞開嚴署擁朱轓喜色歡聲處處競歌來暮　吳王舊國今古江山秀異人煙繁富甘雨車行仁風扇動雅稱安黎庶棠郊成政

槐府登賢非久定須歸去且乘閒孫閣長開融尊盛舉

卜算子

江楓漸老汀蕙半凋滿目敗紅衰翠楚客登臨正是暮秋天氣引疏碪斷續殘陽裏對晚景傷懷念遠新愁舊恨相繼　脈脈人千里念兩處風情萬重煙水雨歇天高望斷翠峰十二儘無言誰會憑高意縱寫得離腸萬種奈歸雲誰寄

鵲橋仙

屆征途攜書劍迢迢匹馬東去慘懷嗟少年易分難聚佳人方恁繾綣便忍分鴛侶當媚景算密意幽歡盡成輕負　此際寸腸萬緒慘愁顏斷魂無語和淚眼片時幾番回顧傷心脈脈誰訴但黯然凝佇暮煙寒雨望秦樓何處

浪淘沙

夢覺透窗風一綫寒燈吹息那堪酒醒又聞空階夜雨頻滴嗟因循久作天涯客負佳人幾許盟言便忽把從前歡會陡頓翻成憂戚　愁極再三追思洞房深處幾度飲散歌闌香暖鴛鴦被豈暫時疏散費伊心力殢雲尤雨有萬般千種相憐相惜　恰到如今天長漏永無端自家疏隔知何時卻擁秦雲態願低幃昵枕輕輕細說與江鄉夜夜數寒更思憶

夏雲峰

宴堂深軒楹雨輕壓暑氣低沈花洞彩舟泛斝坐繞清潯楚臺風快湘簟冷永日披襟坐久覺疏紋脆管時換新音 越娥蘭態蕙心逞妖豔昵歡邀寵難禁筵上笑歌間發舄履交侵醉鄉歸處須盡興滿酌高吟向此免名韁利鎖虛費光陰

浪淘沙令

有個人人飛燕精神急鏘環佩上華裀促拍盡隨紅袖舉風柳腰身 簌簌輕裙妙盡尖新曲終獨立斂香塵應是西施嬌困也眉黛雙顰

荔枝香

甚處尋芳賞翠歸去晚緩步羅襪生塵來繞瓊筵看金縷霞衣輕褪似覺春遊倦遙認眾裏盈盈好身段 擬回首又佇立簾幃畔素臉紅眉時揭葢頭微見笑整金翹一點芳心在嬌眼王孫空恁腸斷

林鍾商

古傾杯

凍水消痕曉風生暖春滿東郊道遲遲淑景煙和露潤偏繞長隄芳草斷鴻隱隱歸飛江天杳杳遙山變色妝眉淡掃目極千里閒倚危檣迥眺 動幾許傷春懷抱念何處韶陽偏早想帝里看看名園芳樹爛漫鶯花好追思往昔年少繼日恁把酒聽歌量金買笑別後暗負光陰多少

傾杯

離宴殷勤蘭舟凝滯看看送行南浦情知道世上難使皓月長圓彩雲鎮聚算人生悲莫悲於輕別最苦正歡娛便分鴛侶淚流瓊臉梨花一枝春帶雨　慘黛蛾盈盈無緒共黯然消魂重攜纖手話別臨行猶自再三問道君須去頻耳畔低語知多少他日深盟平生丹素從今盡把憑鱗羽

破陣樂

露花倒影煙蕪蘸碧靈沼波暖金柳搖風樹樹繫彩舫龍舟遙岸千步虹橋參差鴈齒直趨水殿繞金隄曼衍魚龍戲簇嬌春羅綺喧天絲管霽色榮光望中似覩蓬

萊清淺　時見鳳輦宸遊鸞觴禊飲臨翠水開鎬宴兩兩輕舠飛畫檝競奪錦標霞爛罄歡娛歌魚藻徘徊宛轉別有盈盈遊女各委明珠爭收翠羽相將歸遠漸覺雲海沈沈洞天日晚

雙聲子

晚天蕭索斷蓬蹤迹乘興蘭棹東遊三吳風景姑蘇臺榭牢落暮靄初收夫差舊國香徑沒徒有荒丘繁華處悄無覩惟聞麋鹿呦呦　想當年空運籌決戰圖王取霸無休江山如畫雲濤煙浪翻輸范蠡扁舟驗前經舊史嗟漫載當日風流斜陽暮草茫茫盡成萬古遺愁

陽臺路

楚天晚墜冷楓敗葉疏紅零亂冒征塵匹馬驅驅愁見水遙山遠追念少年時正恁鳳幃倚香偎暖嬉遊慣又豈知前歡雲雨分散　此際空勞回首望帝里難收淚眼暮煙衰草算暗鎖路岐無限今宵又依前寄宿甚處葦村山館寒燈畔夜厭厭憑何消遣

內家嬌

煦景朝升煙光晝斂疏雨夜來新霽垂楊豔杏絲軃霞輕繡出芳郊明媚處處蹋青鬬草人人睠紅偎翠奈少年自有新愁舊恨消遣無計　帝里風光當此際正好恁攜佳麗阻歸程迢遞奈好景難留舊歡頓棄早是傷春情緒那堪困人天氣但贏得獨立高原斷魂一餉凝睇

二郎神

炎光謝過暮雨芳塵輕灑乍露冷風清庭戶爽天如水玉鉤遙挂應是星娥嗟久阻敘舊約飆輪欲駕極目處微雲暗度耿耿銀河高瀉　閑雅須知此景古今無價運巧思穿鍼樓上女擡粉面雲鬟相亞鈿合金釵私語處算誰在回廊影下願天上人間占得歡娛年年今夜

醉蓬萊

漸亭皋葉下隴首雲飛素秋新霽華闕中天鎖蔥蔥佳氣嫩菊黃深拒霜紅淺近寶階香砌玉宇無塵金莖有露碧天如水　正值昇平萬幾多暇夜色澄鮮漏聲迢

遞南極星中有老人呈瑞此際宸遊鳳輦何處度管絃清脆太液波翻披香簾捲月明風細

宣清

殘月朦朧小宴闌珊歸來輕寒凜凜背銀釭孤館乍眠擁重衾醉魄猶噤永漏頻傳前歡已去離愁一枕暗尋思舊追遊神京風物如錦 念擲果朋儕絕纓宴會當時曾痛飲命舞燕翩翻歌珠貫串向玳筵前盡是神仙流品至更闌疏狂轉甚更相將鳳幃鴛寢玉釵亂橫任散盡高陽這歡娛甚時重恁

錦堂春

墜髻慵梳愁蛾嬾畫心緒是事闌珊覺新來憔悴金縷

衣寬認得這疏狂意下向人誚譬如閒把芳容整頓恁地輕孤爭忍心安 依前過了舊約甚當初賺我偷翦雲鬟幾時得歸來香閣深關待伊要尤雲殢雨纏繡衾不與同歡儘更深款款問伊今後敢更無端

定風波

自春來慘綠愁紅芳心是事可可日上花梢鶯穿柳帶猶壓香衾臥暖酥消膩雲嚲終日厭厭倦梳裹無那恨薄情一去音書無箇 早知恁麼悔當初不把雕鞍鎖向雞窗只與蠻牋象管拘束教吟課鎮相隨莫拋躲鍼綫閒拈伴伊坐和我免使年少光陰虛過

訴衷情近

雨晴氣爽竚立江樓望處澄明遠水生光重疊暮山聳翠遙認斷橋幽徑隱隱漁村向晚孤煙起　殘陽裏脈脈朱闌靜倚黯然情緒未飲先如醉愁無際暮雲過了秋光老盡故人千里竟日空凝睇

其二

景闌晝永漸入清和氣序榆錢飄滿閑階蓮葉嫩生翠沼遙望水邊幽徑山崦孤村是處園林好　閒情悄綺陌遊人漸少少年風韻自覺隨春老追前好帝城信阻天涯目斷暮雲芳草竚立空殘照

留客住

偶登眺凭小闌豔陽時節乍晴天氣是處閒花芳草遙山萬疊雲散漲海千里潮平波浩渺煙村院落是誰家綠樹數聲啼鳥　旅情悄遠信沈沈離魂杳杳對景傷懷度日無言誰表惆悵舊歡何處後約難憑看看春又老盈盈淚眼望仙鄉隱隱斷霞殘照

迎春樂

近來憔悴人驚怪爲別後相思煞我前生負你愁煩債便苦恁難開解　良夜永牽情無計奈錦被裏餘香猶在怎得依前燈下恣意憐嬌態

隔簾聽

咫尺鳳衾鴛帳欲去無因到鰕鬚窣地重門悄認繡履頻移洞房杳杳強語笑逞如簧再三輕巧　梳妝早琵

琶閒抱燮品相思調聲聲似把芳心告隔簾聽贏得斷
腸多少恁煩惱除非共伊知道

鳳歸雲

戀帝里金谷園林平康巷陌觸處繁華連日疏狂未嘗
輕負寸心雙眼況佳人盡天外行雲掌上飛燕向玳筵
一一皆妙選長是因酒沈迷被花縈絆　更可惜淑景
亭臺暑天枕簟霜月夜涼雪霰朝飛一歲風光盡堪隨
分俊遊清宴算浮生事瞬息光陰錙銖名宦正歡笑試
恁暫時分散卻是恨雨愁雲地遙天遠

拋毬樂

曉來天氣濃淡微雨輕灑近清明風絮巷陌煙草池塘

盡堪圖畫豔杏暖妝臉勻開弱柳困宮腰低亞是處麗
質盈盈巧笑嬉嬉手簇鞦韆架戲綵毬羅綬金雞芥羽
少年馳騁芳郊綠野占斷五陵遊奏脆管繁絃聲和雅
向名園深處爭柅畫輪競羈寶馬取次羅列杯盤就
芳樹綠陰紅影下舞婆娑歌宛轉彷彿鶯嬌燕姹寸珠
片玉爭似此濃歡無價任他美酒十千一斗飲竭仍解
金貂貰恣幕天席地陶陶盡醉太平且樂唐虞景化須
信豔陽天看未足已覺鶯花謝對綠蟻翠蛾怎忍輕捨

集賢賓

小樓深巷狂遊徧羅綺成叢就中堪人屬意最是蟲蟲
有畫難描雅態無花可比芳容幾回飲散良宵永鴛衾

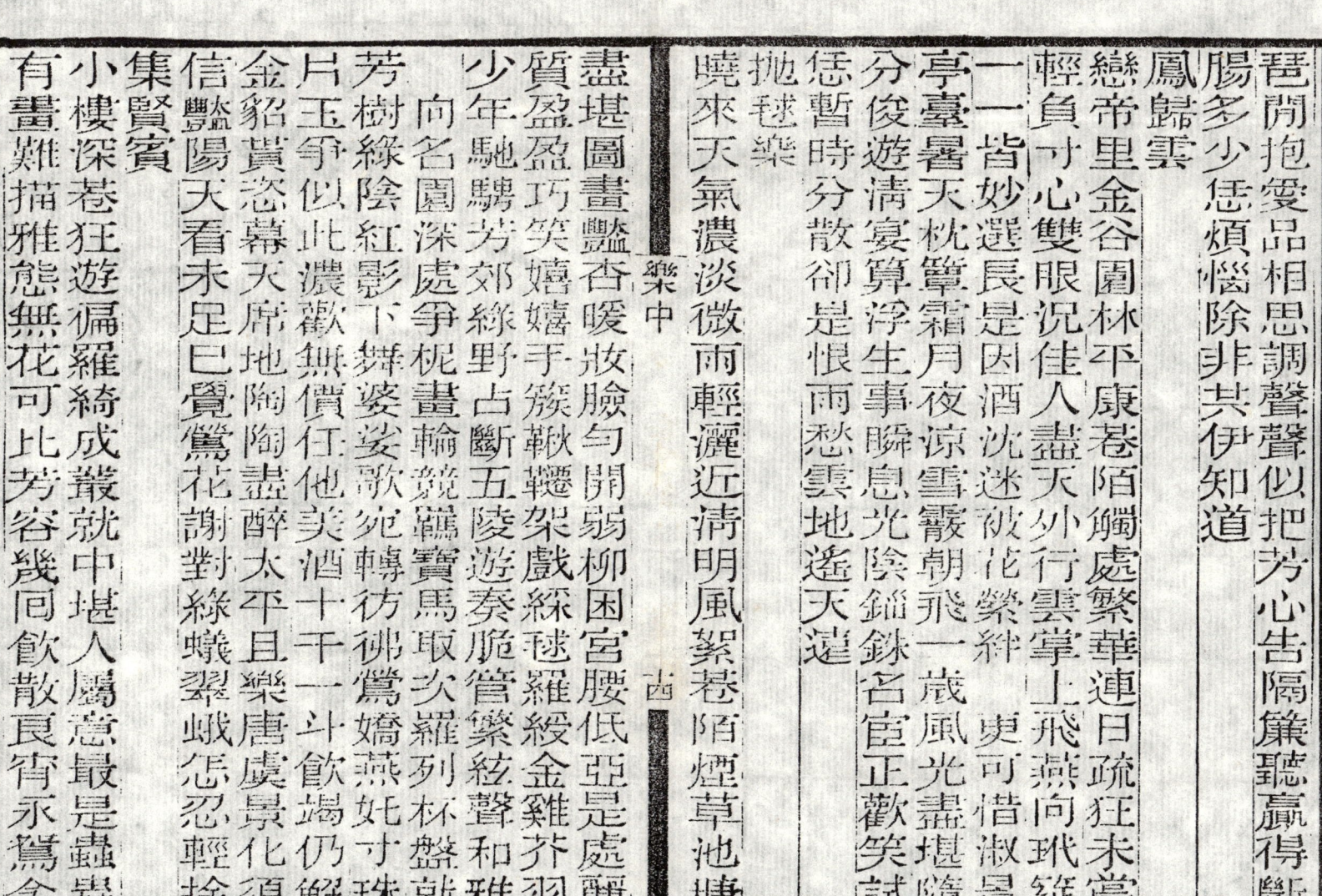

暖鳳枕香濃算得人間天上惟有兩心同　近來雲雨忽西東誚惱損情悰縱然偷期暗會長是怱怱爭似和鳴偕老免教斂翠啼紅眼前時暫疏歡宴盟言在更莫忡忡待作眞箇宅院方信有初終

殢人嬌

當日相逢便有憐才深意歌筵罷偶同鴛被別來光景看看經歲昨夜裏方把舊歡重繼　曉月將沉征驂已鞴愁腸亂又還分袂良辰好景恨浮名牽繫無分得與你恣情濃睡

思歸樂

天幕清和堪宴聚想得盡高陽儔侶皓齒善歌長袖舞漸引入醉鄉深處　晚歲光陰能幾許這巧宦不須多取共君把酒聽杜宇解再三勸人歸去

應天長

殘蟬漸絕傍碧砌修梧敗葉微脫風露淒清正是登高時節東籬霜乍結綻金蕊嫩香堪折聚宴處落帽風流未饒前哲　把酒與君說恁好景佳辰怎忍虛設休效牛山空對江天凝咽塵勞無暫歇遇良會賸偷歡悅歌聲闋杯興方濃莫便中輟

合歡帶

身材兒早是妖嬈算風措實難描一箇肌膚渾似玉更都來占了千嬌妍歌豔舞鶯慚巧舌柳妒纖腰自相逢

便覺韓娥價減，飛燕聲消。　桃花零落溪水潺湲重尋仙徑非遙莫道千金酬一笑便明珠萬斛須邀檀郎幸有凌雲詞賦擲果風標況當年便好相攜鳳樓深處吹簫

少年遊

長安古道馬遲遲高柳亂蟬棲夕陽島外秋風原上目斷四天垂　歸雲一去無蹤迹何處是前期狎興生疏酒徒蕭索不似去年時

其二

參差煙樹霸陵橋風物盡前朝衰楊古柳幾經攀折憔悴楚宮腰　夕陽閑淡秋光老離思滿蘅皋一曲陽關斷腸聲盡獨自凭蘭橈

其三

層波瀲灩遠山橫一笑一傾城酒容紅嫩歌喉清麗百媚坐中生　牆頭馬上初相見不準擬恁多情昨夜杯闌洞房深處特地快逢迎

其四

世間尤物意中人輕細好腰身香幃睡起發妝酒釅紅臉杏花春　嬌多愛把齊紈扇和笑掩朱脣心性溫柔品流詳雅不稱在風塵

其五

淡黃衫子鬱金裙長憶箇人人文談閑雅歌喉清麗舉

措好精神　當初爲倚深深寵無箇事愛嬌嗔想得別
來舊家模樣只是翠蛾顰

其六

鈴齋無訟宴遊頻羅綺簇簪紳施朱傅粉豐肌清骨容
態盡天真　舞裀歌扇花光裏翻回雪駐行雲綺席闌
珊鳳燈明滅誰是意中人

其七

簾垂深院冷蕭蕭花外漏聲遙青燈未滅紅窗閒臥魂
夢去迢迢　薄情漫有歸消息鴛鴦被半香消試問伊
家阿誰心緒禁得恁無憀

其八

一生贏得是淒涼追前事暗心傷好天良夜深屏香被
爭忍便相忘　王孫動是經年去貪迷戀有何長萬種
千般把伊情分顛倒儘猜量

其九

日高花榭懶梳頭無語倚妝樓修眉斂黛遙山橫翠相
對結春愁　王孫走馬長楸陌貪迷戀少年遊似恁疏
狂費人拘管爭似不風流

其十

佳人巧笑值千金當日偶情深幾回飲散燈殘香暖好
事盡鴛衾　如今萬水千山阻魂杳杳信沈沈孤棹煙
波小樓風月兩處一般心

長相思

畫鼓喧街蘭燈滿市皎月初照嚴城清都絳闕夜景風傳銀箭露靉金莖巷陌縱橫過平康款轡緩聽歌聲鳳燭熒熒那人家未掩香屏　向羅綺叢中認得依稀舊日雅態輕盈嬌波豔冶巧笑依然有意相迎牆頭馬上漫遲留難寫深誠又豈知名宦拘檢年來減盡風情

尾犯

晴煙冪冪漸東郊芳草染成輕碧野塘風暖遊魚動觸冰澌微坼幾行斷鴈旋次第歸霜磧詠新詩手撚江梅故人贈我春色　似此光陰催逼念浮生不滿百雖照人軒冕潤屋珠金於身何益一種勞心力圖利祿殆非

長策除是恁點檢笙歌訪尋羅綺消得

木蘭花

心娘自小能歌舞舉意動容皆濟楚解教天上念奴羞不怕掌中飛燕妒　玲瓏繡扇花藏語宛轉香茵雲襯步王孫若擬贈千金只在畫樓東畔住

其二

佳娘捧板花鈿簇唱出新聲羣豔伏金鵝扇掩調纍纍文杏梁高塵簌簌　鸞吟鳳嘯清相續管裂絃焦爭可逐何當夜召入連昌飛上九天歌一曲

其三

蟲娘舉措皆溫潤每到婆娑偏恃俊香檀敲緩玉纖遲

畫鼓聲催蓮步緊　貪爲顧盼誇風韻往往曲終情未
盡坐中年少暗消魂爭問青鸞家遠近

其四

酥娘一搦腰肢裊回雪縈塵皆盡妙幾多狎客看無厭
一輩舞童功不到　星眸顧拍精神峭羅衣迎風身段
小而今長大嬾婆娑只要千金酬一笑

駐馬聽

鳳枕鸞帷二三載如魚似水相知良天好景深憐多愛
無非盡意依隨奈何伊恣性靈忒煞些兒無事孜煎萬
回千度怎忍分離　而今漸行漸遠漸覺雖悔難追漫
寄消寄息終久奚爲也擬重論繾綣爭奈翻覆思維縱
再會只恐恩情難似當時

訴衷情

一聲畫角日西曛催促掩朱門不堪更倚危闌腸斷已
消魂　年漸晚鴈空頻問無因思心欲碎愁淚難收又
是黃昏

中呂調

戚氏

晚秋天一霎微雨灑庭軒檻菊蕭疏井梧零亂惹殘煙
淒然望江關飛雲黯淡夕陽閒當時宋玉悲感向此臨
水與登山遠道迢遞行人淒楚倦聽隴水潺湲正蟬吟
敗葉蛩響衰草相應喧喧　孤館度日如年風露漸變

悄悄至更闌長天淨絳河清淺皓月嬋娟思緜緜夜永對景那堪屈指暗想從前未名未祿綺陌紅樓往往經歲遷延 帝里風光好當年少日暮宴朝歡況有狂朋怪侶遇當歌對酒競留連別來迅景如梭舊遊似夢煙水程何限念利名憔悴長縈絆追往事空慘愁顏漏箭移稍覺輕寒漸嗚咽畫角數聲殘對閒窗畔停燈向曉抱影無眠

輪臺子

一枕清宵好夢可惜被鄰雞喚覺匆匆策馬登途滿目淡煙衰草前驅風觸鳴珂過霜林漸覺驚棲鳥冒征塵遠況自古淒涼長安道行行又歷孤村楚天闊望中未

曉 念勞生惜芳年壯歲離多歡少歎斷梗難停暮雲漸杳但黯黯魂消寸腸憑誰表恁驅驅何時是了又爭似卻返瑤京重買千金笑

引駕行

虹收殘雨蟬嘶敗柳長隄暮背都門動消黯西風片帆輕舉愁覩泛畫鷁翩翩靈鼉隱隱下前浦忍回首佳人漸遠想高城隔煙樹 幾許秦樓永晝謝閣連宵奇遇算贈笑千金酬歌百琲盡成輕負南顧念吳邦越國風煙蕭索在何處獨自個千山萬水指天涯去

望遠行

繡幃睡起殘妝淺無緒勻紅補翠藻井凝塵金梯鋪蘚

寂寞鳳樓十二風絮紛紛煙蕪苒苒永日畫闌沈吟獨
倚望遠行南陌春殘悄歸騎　凝睇消遣離愁無計但
暗擲金釵買醉對好景空飲香醪爭奈轉添珠淚待伊
遊冶歸來故故解放翠羽輕裙重繫見纖腰圖信人憔
悴

彩雲歸

蘅皋向晚艤輕航卸雲帆水驛魚鄉當暮天霽色如晴
晝江練靜皎月飛光那堪聽遠村羌管引離人斷腸此
際浪萍風梗度歲茫茫　堪傷朝歡暮宴被多情賦與
淒涼別來最苦襟裏依約尚有餘香算得伊鴛衾鳳枕
夜永爭不思量牽情處惟有臨岐一句難忘

洞仙歌

佳景留心慣況少年彼此風情非淺有笙歌巷陌綺羅
庭院傾城巧笑如花面恣雅態明眸回美盼同心綰算
國豔仙材翻恨相逢晚　繾綣洞房悄悄繡被重重夜
永歡餘共有海約山盟記得翠雲偷翦和鳴彩鳳于飛
燕閒柳徑花陰攜手徧情眷戀向其間密約輕憐事何
限忍聚散況已結深深願願人間天上暮雲朝雨長相
見

離別難

花謝水流倏忽嗟年少光陰有天然蕙質蘭心美韶容
何啻值千金便因甚翠弱紅衰纏緜香體都不勝任算

神仙五色靈丹無驗中路委瓶簪 人悄悄夜沈沈閉
香閨永棄鴛衾想嬌魂媚魄非遠縱洪都方士也難尋
最苦是好景良天尊前歌笑空想遺音望斷處杳杳巫
峰十二千古暮雲深

擊梧桐

香靨深深姿姿媚媚雅格奇容天與自識伊來便好看
承會得妖嬈心素臨歧再約同歡定是都把平生相許
又恐恩情易破難成未免千般思慮 近日書來寒暄
而已苦沒切切言語便認得聽人教當擬把前言輕負
見說蘭臺宋玉多才多藝善詞賦試與問朝朝暮暮行
雲何處去

夜半樂

凍雲黯淡天氣扁舟一葉乘興離江渚渡萬壑千巖越
溪深處怒濤漸息樵風乍起更聞商旅相呼片帆高舉
泛畫鷁翩翩過南浦 望中酒旆閃閃一簇煙村數行
霜樹殘日下漁人鳴榔歸去敗荷零落衰楊掩映岸邊
兩兩三三浣紗遊女避行客含羞笑相語 到此因念
繡閣輕拋浪萍難駐歎後約丁寧竟何據慘離懷空恨
歲晚歸期阻凝淚眼杳杳神京路斷鴻聲遠長天暮

祭天神

歎笑筵歌席輕拋嚲背孤城幾舍煙村停畫舸更深釣
叟歸來數點殘燈火被連緜宿酒醺醺愁無那寂寞擁

重衾臥　又聞得行客扁舟過篷窗近蘭棹急好夢還驚破念平生單棲蹤迹多感情懷到此厭厭向曉披衣坐

過澗歇近

淮楚曠望極千里火雲燒空盡日西郊無雨厭行旅數幅輕帆旋落艤棹蒹葭浦避畏景兩兩舟人夜深語此際爭可便恁奔名競利去九衢塵裏衣冠冒炎暑回首江鄉月觀風亭水邊石上幸有散髮披襟處